별밭 · 서른한 번째 이야기

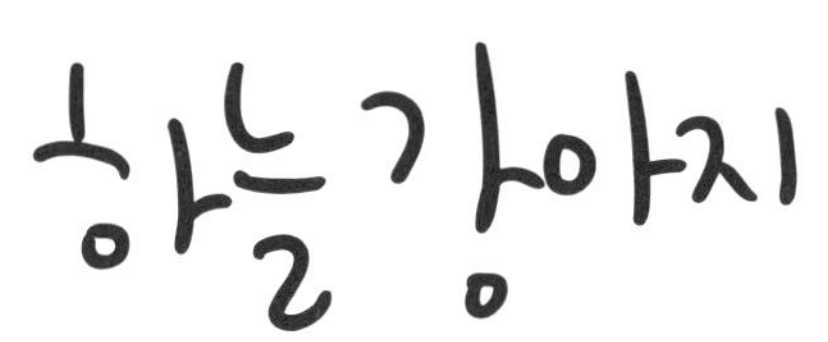
하늘강아지

하늘강아지

초판 인쇄일 2017년 11월 20일
초판 발행일 2017년 11월 27일

지은이 별밭동인
발행인 박정모
등록번호 제9-295호
발행처 도서출판 혜지원
주소 (10881) 경기도 파주시 회동길 445-4(문발동 638) 302호
전화 031) 955-9221~5 팩스 031) 955-9220
홈페이지 www.hyejiwon.co.kr
디자인 김희진
그림 이숙영
영업마케팅 김남권, 황대일, 서지영
ISBN 978-89-8379-948-7
정가 10,000원

이 도서의 국립중앙도서관 출판시도서목록(CIP)은 서지정보유통지원시스템 홈페이지(http://seoji.nl.go.kr)와 국가자료공동목록시스템(http://www.nl.go.kr/kolisnet)에서 이용하실 수 있습니다.(CIP제어번호 : CIP2017027863)

※ 이 책은 2017년도 전라남도문화관광재단 예술창작기금에서 출판비 일부를 지원받아 출간되었습니다.

별밭 · 서른한 번째 이야기

하늘강아지

혜지원

이옥근 동시집 출판기념회(2017.3.18)

여수 해양케이블카 전망대에서(2017.3.18)

이성룡 제2시집 출판기념회(2017.6.17)

연홍도 여름 모임 한가족(2017.6.17)

고흥 연홍도에서 한 컷(2017.6.17)

녹동항 인공섬(바다정원)에서 자유시간(2017.6.17)

고윤자 신인상 수상식(**2017.7.8**)

나주 영산포여중 모임(**2017.8.26**)

나주 목사내아에서 차 한 잔(2017.8.26)

백호문학관 입구에서(2017.8.26)

영산포여중에서 한가족(2017.8.26)

영산포의 육지 등대 앞에서(2017.8.26)

차례

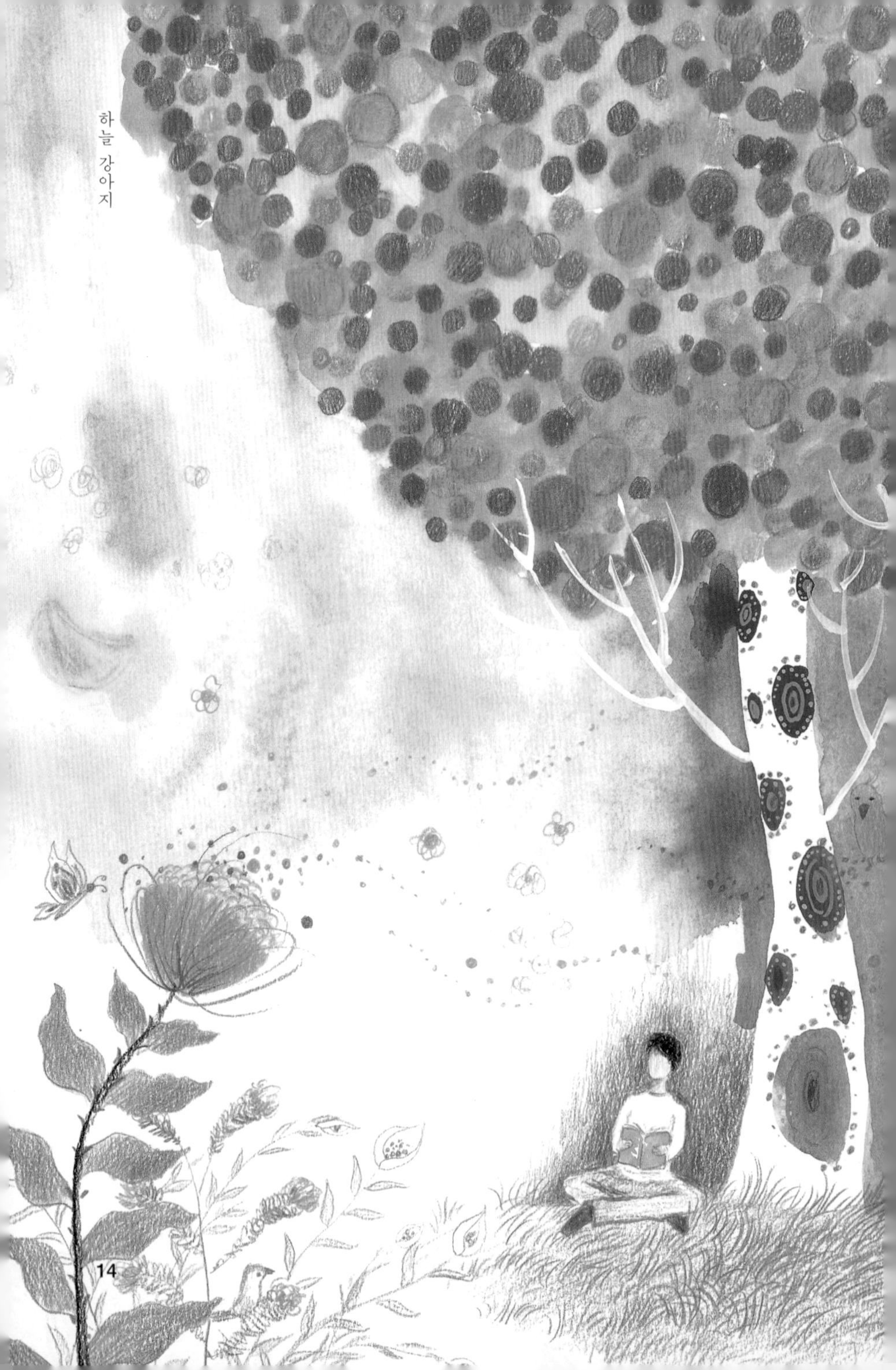

윤삼현

전남대교육대학원, 조선대 국문과 박사과정 졸업(문학박사)
광주일보 《신춘문예》 동화당선
동아일보 《신춘문예》 동시당선
아동문예문학상 평론 당선
광주교육대 대학원 겸임교수

수록 작품

사슴벌레

나,
촌놈 중의 촌놈
사슴벌레야
기세좋게 주눅 안 들고
당당하게 살아가는
괜찮은 놈이다

통통한 갈참나무
썩은 구멍이
내 집

촌놈이라고 무시하지 마
벌어진 까만 어깨
뻣뻣하게 세운 내 턱 안 보여?

그 누가 나타나도
눈 하나 깜짝 안 해

단,
기어이 날 찾아내
종일 힘겨루기로 내 힘 쏙 빼놓는
꼬맹이들만 빼고.

이 고래들아

윤삼현

고래고래 소리지르는
개구쟁이 고래들
한바탕
교실이 요란하다

쉴 새 없이 까불고
재잘거리고
쿵쾅대며 안달하는
못 말릴 고래들

그래, 힘 넘친다!
단연 활기 최고야!
이 잘 될 고래들아!

선생님 한바탕 칭찬 늘어놓으니
앗, 순해진다 고래들.

효자손

가려우세요?
제가 있잖아요

등이 가렵다구요?
사
각
사
각

사　사
　각　각

어때요, 시원하시죠?
손가락 끝에서
빠져나오는 바람 보이죠?

푸르디 푸른
대숲 바람을요.

강아지

윤삼현

강아지풀 숲에 들어가
누구 꼬리가 더 기나 내기도 하고 싶고

외출 나온 아줌마네 발발이랑 만나
이름이 뭐니?
실례지만 나이는?
묻고 싶고
둘이 잔디밭도 실컷 달리고 싶고

그네 타는 아이들 틈에
살짝 뛰어올라
출렁출렁 그네도 타고 싶어요

목줄에 질질 끌려가는
내 그림자 씩씩거리는 소리 안 들리냐고요?

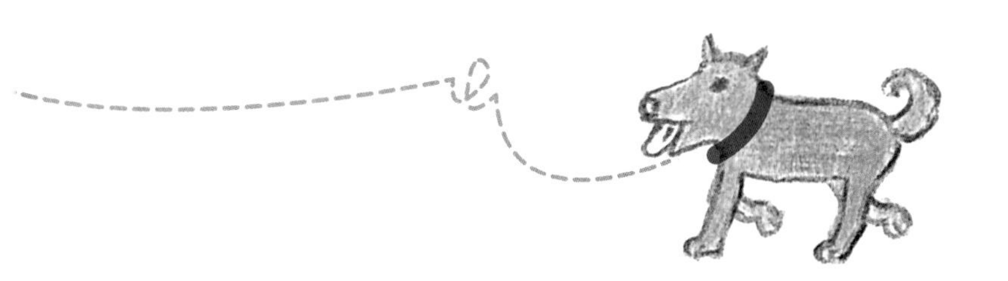

눈 쓸기

하얀 강아지들
꼬리치며
달려든다

좀, 비켜라
길 좀 쓸자

빵가게 아저씨
싸리비로
밀쳐내 보지만

–아이 왜 그러셔요
하늘의 강아지들
살 부비며 안긴다.

땅끝

윤삼현

뚝 끊어진 벼랑일까
발 디딜 곳 없는 아뜩함일까
야릇한 기분으로 사자봉 올랐어요
둥둥 뜬 섬들이 몸 흔들어 아는 체 합니다

땅끝이 발 아래 하얀 숨결 쏟아내면
바다도 하얀 입김으로 파닥거립니다
서로들 가슴치며 철썩입니다

쉼없이 출렁이는 파란 글자로
마음의 다리를 놓으며
땅끝은 땅끝은
꼭꼭 눌러 시를 씁니다.

황포돛대

황포돛대는
영산강을 오르내립니다
느릿느릿
강물을 탑니다

흐르다 심심하면
아기구름 돛대 위에 불러 앉히고
옛 이야기 구수하게 들려줍니다
아빠구름 엄마 구름 불러 앉히고
천년 역사 찬찬히 들려줍니다

아픈 기억 번뜩이면
몰래 살짝 출렁이면서요

황포돛대는
한 박자 늦춘 걸음발로
아삭아삭 이야기 풀어가는
강물 위의 동화책입니다.

이성룡

「문학춘추」와 「아동문예」 동시 당선
시집 『오래된 부부』 외 2권
동시집 『풀벌레통신』
현 풍양초등학교(전남 고흥) 근무

수록작품

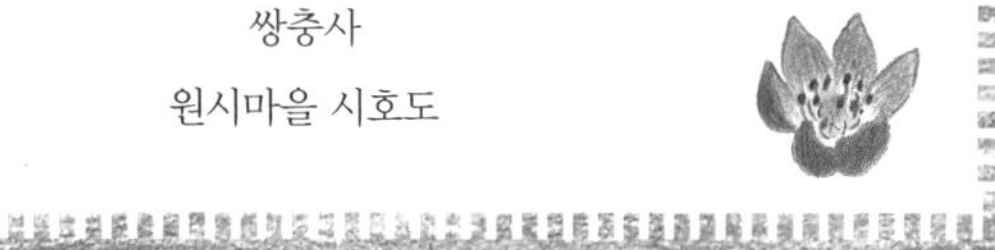

전학생

반갑다 애들아
내가 와서 반갑지?
우리 행복하자

뭐지
저 당당함은?
우리 충분히 행복하거든

전학 온 친구
말끔한 훈남인데
은근히 얄밉다

그 훈남 새 짝꿍
늘 활짝 핀 미소
점점 마음에 든다

내 짝꿍 결석한 날
옆 빈자리
자꾸 눈이 간다

텃밭교실 1

이성룡

1번 상추
예!
2번 시금치
예!
3번 배추
예!
4번 부추
예!

너는 누구니?
전학생입니다
이름은?
민들레입니다
그래 반갑다
여러분
친하게 지내요

텃밭교실 2

전학 왔습니다
누군데?
제비꽃입니다
그래 환영한다

저도 전학 왔는데요
누구?
딸기입니다
그래 잘 지내자

저는 명아주입니다
이제 그만
왜요?
교실이 좁다

교장선생님께 일러바침

이성룡

어젯밤 또 싸운 거 있죠?

고기반찬 달라고 투정하는

아빠 고집 왕고집이라니까요

아빠가 용돈 달라고 보채면

뽀뽀해줄 때까지 버티는 엄마는

은근한 사랑꾼이랍니다

엄마는 방구를 몰래 백방도 뀌면서

아빠가 한방 크게 뀌면

선전포고도 없이 대포를 쏜다고 투덜대죠

바퀴벌레를 몰래 키우느냐는 둥

양말을 거꾸로 신었다는 둥

엄마아빠 입씨름은

샅바도 매지 않고 척척 잘해요

별걸 다 싸운다고 참견하면

별걸 다 간섭한다고 꾸짖어요

그러면 제 입술도 몰래 삐죽거려요

간섭 안 하게 잘 좀 하시지

동아형

동네에 아는 형이 있다
단골 피시방 개근상 수상자이다
스타크래프트 리니지 에이지오브클랜
형이 검을 휘두르고 방아쇠를 당기면
죽은 병사가 지구인보다 많지만
악의 축은 먼지처럼 사라지고
동아형의 나라에는 평화가 깃든다

며칠 전부터 풀이 죽은 동아형이
오늘은 펑펑 울었다
머리를 짧게 깎은 낯선 모습의 형이
피시방 현관 밖으로 끌려나왔다
엄마, 군대 가기 싫어요
게임 없는 포로수용소 극혐이라고요
아줌마에게 끌려가면서 부르짖었다

나와 눈이 마주친 동아형
눈물을 뚝 그치고 손을 내밀었다
어이, 전우
나의 군 입대를 적에게 알리지 말게나
후방은 전우가 맡아주게
나는 귓속말로 속삭였다
저 이제 게임 그만 할래요

쌍충사*

이
성
룡

녹도진에 우뚝 선
충장공 정운장군
충렬공 이대원장군
남해바다를 굽어보신다

먼 옛적 임진왜란
녹도진에서 부산진까지
흥양현*의 전사들과 함께
남해안을 지키던 장군들

변방이 뚫리면 다 죽는다
피로 물든 산과 내
스러지는 백성들을 구하려고
목숨 바쳐 싸우셨다

이 땅과 이 바다를
다시는 빼앗기지 않으리
쌍충의 부릅뜬 눈
잠들지 않는 녹도진

* 전남 고흥군 도양읍에 있는 정운 장군과 이대원 장군을 기리는 사당
* 옛날 고흥군의 지명

원시마을 시호도*

나뭇잎으로 옷을 입고
움집을 짓고 화덕을 만들자
돌칼 돌도끼로 사냥을 하고
수렵을 하고 채집을 하자
마른 나무 비벼 불도 피워야지

'맛있는 과일을 잘 찾는 아이'야
해가 진다 모닥불을 피우자
'주먹 쥐고 일어서'야 어서 오너라
'돌팔매질 하다가 넘어진 녀석'아
'고기를 잘 잡는 녀석'을 데려오려무나

원시마을 원시인들 다 모이면
구운 고기 살을 발라 먹고
통통 부른 배를 탕탕 두드리고
모닥불 돌며 한바탕 춤을 추자
우끼끼끼 우까까 우히히히 우하하

* 전남 고흥군 나로도에 있는 섬. 원시시대 체험을 하는 곳

이옥근

한국일보 《신춘문예》 동시부문 당선
푸른문학상 수상
동시집 『다롱이의 꿈』
『감자가 뿔났다』

수록 작품

고양이 선물
나는 도둑고양이
어느 고양이의 죽음
금오도에서
영취산 진달래꽃

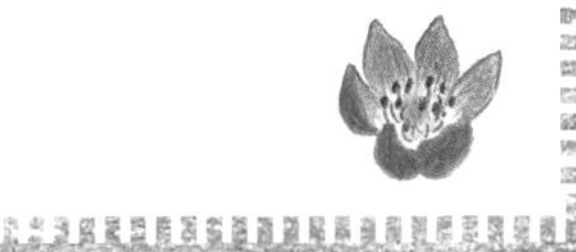

고양이 선물

새끼들 데리고
밥 얻어먹던 길고양이
어느 날
마른 명태 한 마리
물고 왔다

"에구 딱딱해서 못 먹었구나."
속도 모르는 할머니
배고픈 고양이 걱정에
마른 명태 푹 삶아
문 앞에 내놓았다

할머니는
고양이 먹이라 생각하고
고양이는
할머니 선물이라 망설이는데
새끼들 먼저 달려들어 입맛 다신다

나는 도둑고양이

이옥근

시장 뒷골목을
발톱 아리게 뒤져도
먹을 건 없고
무거운 눈꺼풀 사이로
마른 눈곱만 떨어진다

남몰래 먹이 주던 아줌마도
며칠째 보이지 않아
길옆 쓰레기봉투를 찢었다.
"저리 가, 이놈의 도둑고양이"
어디선가 들리는 청소부의 고함이
새끼들 숨어있는 긴 골목을
통째로 물어뜯는다

이런 날이면 나는
높은 담 너머의
하는 일 없이 빈둥대도
먹을 것 걱정 없다는
예쁜 이름 가진
집고양이들이 부럽다

어느 고양이의 죽음

텅 빈 과수원 작은 움막
찬바람에 나부끼는 비닐 사이로
언뜻언뜻 보이는 점박이 고양이

오랜만에 정말 오랜만에
맘 놓고 편히 누워 깊은 잠에 빠졌다

그 예민하던 청각은
내 발길에도 꿈쩍 않는다

춥고 배고픈 밤거리를 무던히도 헤맸을 두 다리
한적한 곳 찾아 가지런히 놓아두고

이별을 슬퍼해 주는 이 하나 없이
혼자서 조용히
너희 별로 떠났구나

금오도에서

이옥근

이른 새벽
여수시 남면 작은 섬
금오도의 앞바다가 시를 쓰면
우리는 비렁길 따라 가며
그 시를 줍습니다

육지에서 온 사람은
그 시를 낚싯대로 낚아 올리고
마을 사람들은
그 시를 주워 집으로 나르고
바다로 내려간 배들은
그물로 끌어내기도 합니다

섬으로 올라온 시들은
동백나무에서 꽃으로 피어나고
아침상에 올라 풍성한 반찬이 되기도 하고
분교 아이들의 웃음 속에 살아나
운동장 구석구석 나뒹굽니다

영취산 진달래꽃

바람아
진달래 피는 봄에
영취산으로 오렴

분홍빛 물든 꽃밭에서
가슴 두근두근
널 기다릴게

아름다운 나비되어
물 고운 한려수도
너울너울 건너

봄빛 손님
진달래꽃 보고픈 마음
두둥실 태우고 같이 오렴

이정석

《소년중앙》 문학상 동시 당선, 《무등일보》 신춘문예 시 당선,
《아동문학평론》지에 문학평론 당선
『이정석 동시선집』 등 동시집 5권,
아동문학평론집 『생태주의 아동문학과 해학의 동심』 등 2권 펴냄
방정환문학상, 한국불교아동문학상, 전라남도 문화상 등 수상.

수록 작품

낡은 풍금

비가 내리는
학교 폐품 수집함 구석에
아무렇게나 버려진
낡은 풍금 한 대.

어느 교실에서 쫓겨났을까
아직도
바람만 빵빵 하다면
무슨 동요인들 못 부를까마는.......

한때는
아이들의 초롱초롱 눈빛에
풍금은 춤추었고,
아이들의 카랑카랑 목소리에
선생님 손가락은 들썩였지.

이젠
부러진 우산일 뿐.
애처로웠을까.
풍금 건반을 두드리는 것은
무심하게 쏟아지는 비,
빗줄기였다.

검은등뻐꾸기

이정석

해마다 오월이 오면
우리 아빠는
검은등뻐꾸기 울음소리만
기다립니다.

'애-미-왔-다!'
'애-미-왔-다!'

네 박자 울음소리가 들리면
쓰러질듯이
아빠는 마당으로 달려 나가십니다.
"어머니
올해도 잊지 않고 오셨군요."

검은등뻐꾸기는
몇 년 전
할머니 수목장하던 날에도
숲속에서 온종일 울었습니다.

담쟁이덩굴

담쟁이덩굴은
어머니 등에 업힌 아이처럼
시골 토담에도,
높다란 돌담에도
꼬옥 달라붙기를 좋아합니다.

담쟁이덩굴은
꼭대기까지
애써 기어오르지 않지만
어느 담장이든지
그곳 풍경과 어울리기를 좋아합니다.

그 담장이
꽉 막힌 절벽으로 변한다 해도
담쟁이덩굴은
늦가을이 되면
어김없이
단풍으로 물들기를 좋아합니다.

달랑게뿐이랴

이정석

썰물 때
바닷가 모래톱을 걸으면서
달랑게들이 뱉어낸
둥글둥글한 경단,
무수한 발자국을 보았다.

그들의 아우성,
그들의 땀,
그들의 생생한 이야기들이었다.

그러다가 밀물이 밀어닥치면
순식간에
그들의 빛깔은
또 흔적 없이 사라지고 말겠지.

그렇게
묵묵히 살아가는 것들이
어디 달랑게뿐이랴.

개망초꽃처럼

이 여름 들판에
개망초꽃들이 한창이다.

어디든 빈자리마다
푸른 줄기 끝에
야무진 흰 꽃들이 무더기로,
무더기로 피었다.

누구한테
눈길 한번 받은 적 있었을까.
따로 장만해둔
그들의 땅은 아예 없었다.

우리도
개망초꽃처럼
그런 개망초꽃처럼

문성암 일기

이정석

덕룡산에 걸린
초사흘 달에
우전차 한 잔.

하얀 차꽃
똑똑
떨어지는 소리에
발효차 한 잔.

운흥사 석장승
한결같은 그 미소에
초의차 한 잔.

새벽 홍차 한 잔에
어느새
똑 도르르
문성암 목탁소리.

운흥사 돌장승 부부

향기 진한 꽃보따리를
공짜로 갖고 싶거든
누구든지
운흥사 입구
늙은 돌장승 부부를 찾으세요.

따스한 웃음꽃이
발 아래 수북이 떨어지는,
세상에서
유일한 곳이거든요.

이 빠진 할아버지가
짓궂은 농담이라도 하나 봐요.
우스워 죽겠다는 듯
웃음을 참지 못하는 할머니.
두 분 고개는 꺄우뚱
두 분 주름은 자글자글

가을 햇살도 담을 수 있어요.
눈길이라도 마주치면
불로초도 얻을 수 있지요.

〈'84 광주일보〉〈'90 조선일보〉 신춘문예 동시 당선
동시집 『숨은그림 찾기』『반쪽이라는 말』『나비처럼 날아가다』 등
전남시문학상, 목포예술상, 열린아동문학상
2016 올해의 좋은 동시집, 『반쪽이라는 말』 선정
한국아동문학회 이사, 목포문학상 운영위원

수록작품

봄

개똥도 돌탑이 되는구나

그렇지만

돌멩이는 다 둥글다

으흐흐

유달산의 봄

불갑사 꽃무릇

봄

감사합니다

보드란 바람을 주셔서
따순 볕도 주셔서

긴 하품 속,
닫힌 창을 열고
새들을 바라볼 수 있게 해 주셔서
강물 다시 흐르게 해 주셔서

버려진 땅에도
아지랑이 모락모락 내려주셔서

개똥도 돌탑이 되는구나

조기호

남의 흉,
덮는 거란다.

산을 오르시던 아버지
돌멩이 주워 모아
풀 섶에 버려진 개똥을 덮는다.

엄마도 입을 가리며 한 덩이
나도 코를 움켜쥐고 한 덩이

달그락 달그락
돌멩이를 얹을 때마다
슬몃 꼬리를 감추는 개똥

우와,
조그맣고 예쁜 돌탑이 되었다.

그렇지만

아버지,
거스르는 일
함부로 하지 마라시지만

그래도
그러나
그렇지만

왜 물고기들은 강을 거슬러 올라가는 것일까요
왜 연은 바람을 거스르며 오르는 것일까요

※ 거스르다 : 따르지 않고 그에 반대되는 태도를 취하다

돌멩이는 다 둥글다

조기호

거칠고 비뚤한 돌멩이도
마음은
다 둥글지요.

강물에
돌 던질 때마다

퐁당,
제 꼭뒤*
스르르 물속에 감추고

둥글둥글
커다란 웃음만
보여주는 것 보면.

※ 꼭뒤 : 머리 뒤통수의 한가운데

으흐흐

엄마는
늘 그랬다

싸우다 한대 맞고 오면 더 때렸다, 맞았다고
넘어져서 무릎 까졌다 하면 더 때렸다, 한눈 팔았다고
누가 놀렸다고 징징거리면 더 때렸다, 울었다고

동생이 울었다
고양이가 신발 한 짝 물어갔다고
'에라이 바보!'
화가 나서 머리를 한 대 쥐어박았다

엄마처럼 그렇게
으흐흐

유달산의 봄

긴 하품 속
기지개를 켜는
일등바위
이등바위
삼등바위
모두

개나리
노오란 조끼를 걸친
병아리
유치원생이 된다.

사람들
우르르
오르내릴 때마다

점잖게 앉아있지 못하고
자꾸
뚤레뚤레한다.

불갑사 꽃무릇

불갑사
꽃무릇
홀로 피지 않는다
손잡고 핀다

한 동네
한 울타리
어깨동무처럼

비가 내려도
바람이 불어와도
같이 맞는다
웃으며 맞는다

함께 놀다가
손잡고 간다
불갑사
꽃무릇

고윤자

2016 천강문학상 아동문학부문 수상
2017 아동문학평론 신인상
현 목포항도초등학교 재직

수록 작품

응원하는 ㅅ(시옷)
낮달
내가 그린 대동여지도 ① 봄, ② 여름, ③ 가을, ④ 겨울
청산도
너 때문이야

응원하는 ㅅ(시옷)

받아쓰기 마지막 문제
'우는 얼굴!'

얼른 쓰고
슬며시 옆자리를 봅니다.
일주일째 빈…….

아픈 짝꿍의
하얀 링거 줄이
자꾸만 눈에 어른거립니다.

망설이다
잠시 망설이다가
'ㅅ(시옷)' 하나 덧붙였습니다.

지켜보던 선생님
눈이 커지며
"잘못 들었니?"

"아니요.
지수가 얼른
웃었으면 해서요."

말없이
꼬옥 안아 주시는
선생님 팔,

선생님도
내 등에
'ㅅ(시옷)' 하나 덧붙였습니다.

낮달

배짱도
좋다.

해는
밤에
한 번도
놀러 오지 않는데

달은
낮에도
가끔가끔
놀러 나온다.

내가 그린 대동여지도

고윤자

1 봄

친구야, 그거 아니?
이집트에서 발견한 3300년 전의
완두콩이
국립수목원에서 싹을 틔웠대.

우포늪의 1100년 전
창포 씨는
실험실에서 싹이 텄고.

고려시대 700여 년 전의
연꽃 씨는
박물관에서 싹이 터 자라더니
이듬해는 아라홍련으로 피어났대.

난 궁금해!
헤어진 남북은
언제쯤 싹으로 돋아나
우리나라 꽃으로 피어날까?

2 여름

풀었다 조이고
조였다 풀었다 하며
본디 품고 있던
제 소리를 찾아가지,
피아노는.

우리도
피아노 조율처럼
서로의 이야기에
귀 기울여야 해.

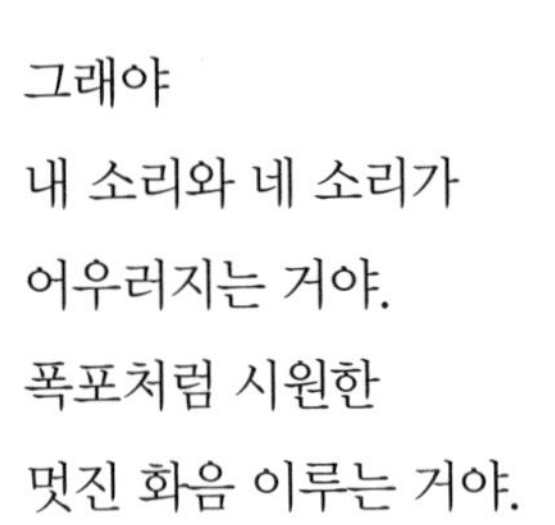

그래야
내 소리와 네 소리가
어우러지는 거야.
폭포처럼 시원한
멋진 화음 이루는 거야.

3 가을

고추잠자리가
살랑살랑 이어준다,
꽃과 꽃 사이

다람쥐가
통통통통 이어준다,
나무와 나무 사이

빨간 꽃신[1]이
나풀나풀 이어준다,
98세 아버지와 75살 딸 사이

이젠 휴전선도
이음줄 되어야지,
가시철조망 걷어내고

아기 기저귀 널린 빨랫줄 같은,
빨랫줄 같은……

[1] 빨간 꽃신 : 꽃신을 사러 가신 아버지와 가족들은 6 · 25 전쟁으로 인해 이산가족이 되었다. 2015년 10월 24일 남북 이산가족 상봉 때 98세 아버지가 65여 년 전 딸과 한 약속을 지키기 위해 마련한 꽃신.

4 겨울

눈 온다.
눈이 온다.
하얀 통일이다.

남녘 아이들도
북녘 아이들도
온통 눈사람이다.

휴전선 없는
김정호 할아버지의
대동여지도가 펼쳐지고

남북이
비로소
한 품에 든다.

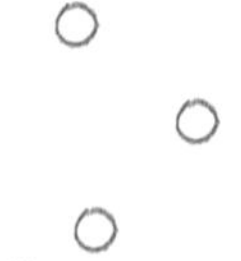

청산도

고윤자

깡총
토끼처럼
청산도에 내리면

느림의 종소리 들으며
손 흔드는 단풍길,
도란도란 돌담길 지나
서편제 길에서 어깨춤 추고

노을 바라보며
누군가 만날 것 같은
보리밭 길 돌아돌아

집으로 돌아오는 길은
달팽이 느린 걸음으로
스르르 사르르

너 때문이야

고흥군 녹동
둥그런 인공섬 위에

은빛 사슴 가족이
도도한 자태를 뽐내고

소록대교 위를
넘어가는 해님도
공연으로 한창인데

안식을 주는
의자가 수상하다.
인공섬 위에
꽁꽁 묶여있다.
탁자도 쇠사슬로 꽁꽁
이 섬에 도둑?

아냐 아냐

인공섬에도

이따금

모질게 다녀갈

바람,

바람 때문이야.

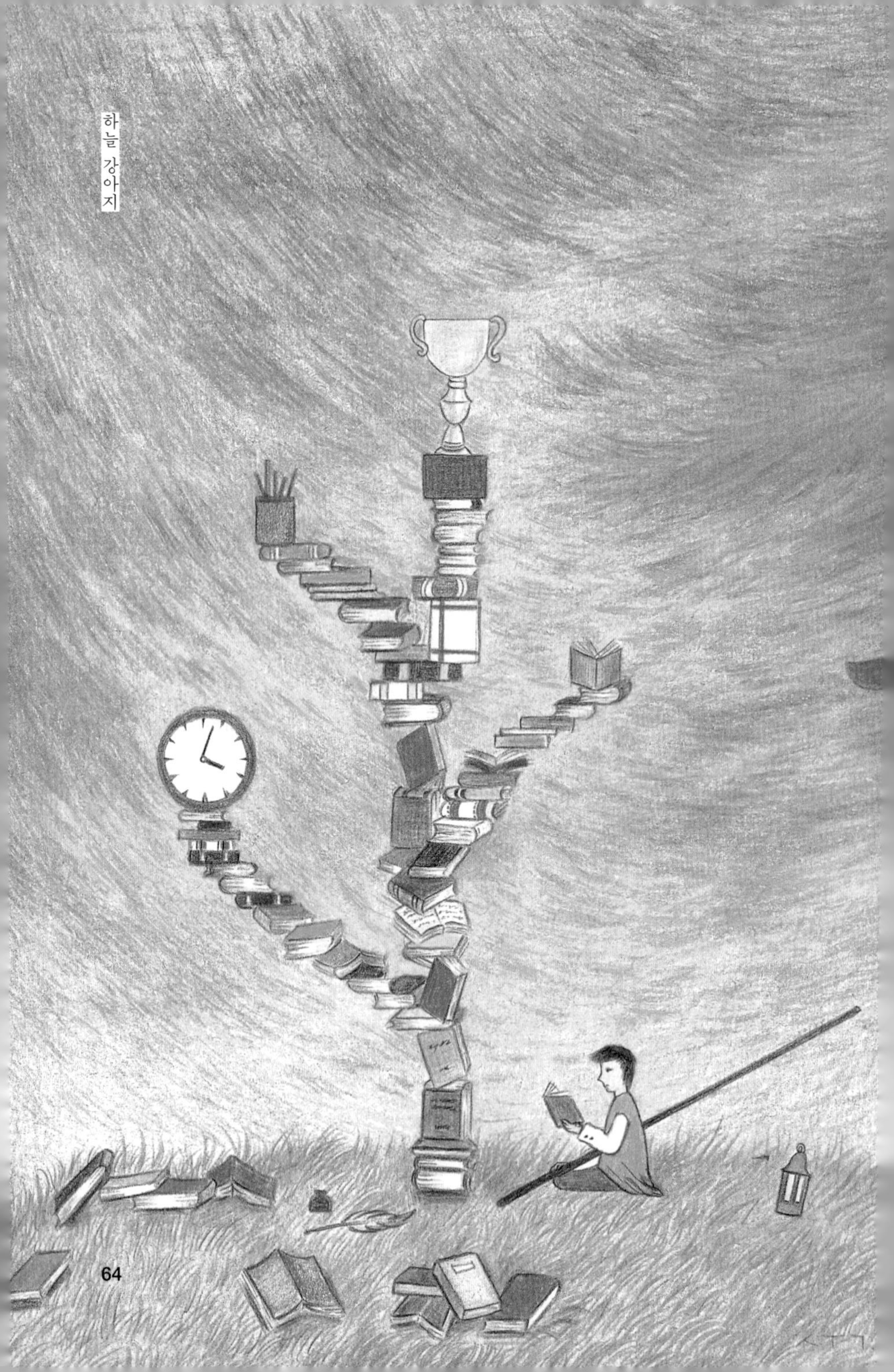

고정선

제8회 목포문학상 동시부문 남도작가상 당선
2017 계간 『좋은 시조』 창간 2주년 신인상
동시집 『풀밭에는 왕따가 없다』 외 1권

수록작품

풀

잡초라고 부르며
깔보지 말아요

나도 귀한 자식
내 이름을 불러줘요

밟히고 뽑힌다 해도
어울려 살고 싶어

고정선

저 웃음 좀 봐

고무줄 칭칭 감아
프로펠러 핑핑 돌려
바람길 오르내리는
내가 만든 비행기

하늘 끝 가고픈 마음
모두 태워 오른다

저 넓은 하늘마당
꿈 그려 채워주고
푹신한 솜구름엔
친구 맘 새겨주고

햇살이 날개 흔들 때마다
눈부신 저 웃음 좀 봐

요술처럼

해님 만나 보송해진
이불을 덮고 자면

요술처럼
햇살이 내 몸으로 들어와

해 닮은 해바라기 꽃
벙긋벙긋
피워 줄 것 같아

깃털여행

고정선

꽃대마다 은빛 해님이
간지럼을 태우나 봐

안달 난 봄바람이
산에 들에 귀띔 하네

못 참아
풋, 터진 웃음소리
바람개비 돌며 가네

마음은 똑같아

그네가 그네를 타고 싶다고
정말이야?

그럼 남만 태우고
나는 타지 말란 법 있니

서로 먼저 타 보려고
밀치고 당기며 줄 서는 걸 볼 때
밑씻개에 올라 앉아
연푸른색 하늘로 소리치며 오를 때
정말로 나를 타면 그렇게 재밌는지
나도 나를 타 보고 싶었다고

아이들 학교 간 후 텅 빈 놀이터
나뭇가지 잡고 놀던 명지바람 내려와

밀어 주고 당겨 주고
그네에게 그네를 태워줍니다.

돌장승 할아범

고정선

도초면 고란리[1] 들머리에
백 살도 더 됐을 돌장승 할아범
동네방네 모르는 일이 하나도 없다.

손주 녀석들 올 때는
어디 얼마나 컸나 보자
두툼한 손으로 안아 주고

목포 갔다 오는 동네 어른
양 손 보따리 속 궁금해서
왕방울 큰 눈 부릅떠 살펴보고

바람결에 들려오는
좋은 소식 궂은 소식
큰 귀 팔랑이며 들어 주고

비바람 눈보라가 쳐도
눈도 깜박 안하면서
사시사철 입가엔 웃음만 걸려 있다.

1. 전남 신안군 도초면 고란리

마인계터[1] 고갯길

아빠 손을 잡고
마인계터 고갯길을 오릅니다.

들어 볼래?

남농 할아버지의 화선지 펼치는 소리
신영희 할머니의 구성진 판소리
큰샘거리 물지게에서 찰랑거리는 물소리

들리니?

구름다리를 지나 골목골목을 누비던
아이들의 가댁질 소리
바람 길이 항상 열려 있어
연 꼬리가 예쁘게 올라 구름 속에 숨는 소리
눈 오는 날 반들반들한 얼음판에서
신나게 엉덩방아 찧는 소리

잘 들리지?

나는 그저 고개 끄덕여주는 길이지만
아빠에겐 옛날을 돌아보게 하는 길
유달산이 넉넉하게 펼쳐주던
산그늘 속의 이웃들
다 보고 싶은 길입니다.

1. 마인계터 : 만인계터. 목포극장에서 만복동고개로 가는 언덕의 오른쪽

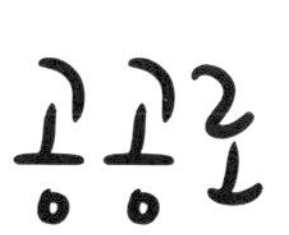

무등일보 《신춘문예》 및 계간 《문학마을》 시 당선
월간 《아동문예》 동시 당선
시집 『갈대들도 아침수화를 보낸다』 외 다수
신앙시집 『그토록 어린양을 찾는 이유』
POSCO 광양제철소 도금부 근무

수록 작품

빗물
징검다리
옥수수
들고양이
넝쿨장미
이순신대교
연홍도

빗물

돌담길 걷던 빗물이
방울방울 미끄럼 타요.

지붕에서
담벼락에서
겁 없는 빗물은
희끗한 머리카락 미끄러져 내려와요.

앞서거니
뒤서거니
툭 툭 투–둑
저들만의 노래 흠뻑 젖어요.

걸을수록 철벅철벅
짜증나지요.

징검다리

여름방학
도시에서 넘쳐난 숙제
가득 담아
건네주고 싶다.

반겨주던 강아지
시골 장독대 옆 봉숭아꽃
얼마나 자랐을까?
도란도란 얘기하고 싶다.

마을과 마을
할아버지 할머니
옛 얘기 듬뿍 담아
가져오고 싶다.

직장에 바쁜 아빠 엄마는
이번에 또
무엇을 궁금해 할까?

폴짝 폴짝 징검다리 건넌다.

옥수수

삶은 옥수수 껍질을 벗긴다.
겉껍질을 당길 때마다
구수한 냄새는 토실토실한 알맹이
불쑥 드러낸다.

누런 얼굴
파르스름한 얼굴
검은 얼굴
탱탱하게 앉아있다.

한 입 단단하게 물면
아빠
엄마
슬그머니 깨어 문다.

색색이 박혀있는 옥수수가
찰지고 더 알차단다.

들고양이

어슬렁, 어슬렁
느린 걸음걸이로
제철소를 걷는 고양이

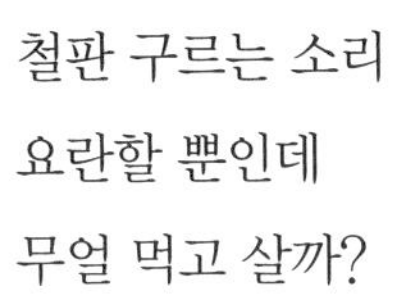

철판 구르는 소리
요란할 뿐인데
무얼 먹고 살까?

공장 안에는
아무나 허락하지 않는데
익숙한 걸음으로 모퉁이 돌아선다.

요 며칠 전
불룩하니 축 처진 얼룩무늬 뱃살,
수컷 고양이도
어딘가에서 날 지켜보고 있나보다.

넝쿨장미

넝쿨장미 놀이터는
울타리 밖에 몰라요.

눈이 부시도록
빨간 새 옷 입기도 하고
하얀 드레스 뽐내기도 하고

넝쿨장미 동산은
울타리 밖에 몰라요.

무슨 얘기 나눌까?
다가가면
너무 가까이 오는 게 싫어
진한 냄새를 뿌려요.

어머니 화장품 냄새는
비교할 수 없어요.

이순신대교

광양포구에
다리가 놓였다

주탑 경간
1,545m 굽은 등 내밀어
광양과 여수를 내어 주었다.

주탑 끝에
달이 걸렸다.

가끔씩
별도 쉬어가고

밤낮으로 흘린 땀방울도
상선에 실려 하늘을 연다.

연홍도

거금도 신양 선착장에서
손바닥으로 가려지는
섬 속에 섬

요리 조리
고개 돌리면
청청바다 하늘과 뽀뽀하는 섬

손가락 옮기는 대로
색종이 오려
올망졸망 옮겨 놓은 마을

굴렁쇠 굴린 골목마다
콧물 흘리던 놀이터
지붕 없는 미술관이다.

할아버지께서 신으신
검정고무신은 텃밭이 되고
조개껍질은 담쟁이 꽃으로 피었다.

※연홍도 : 전남 고흥군 금산면 신정리에 있는 섬

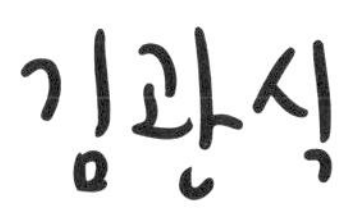

한국문인협회, 국제펜 한국본부 이사, 한국현대시인협회 이사
계간 『자유문학』 신인상 시 당선(1998년)
노산문학상, 백교문학상 대상, 매월당문학상 본상 수상
저서 동시집 『토끼 발자국』 외 13권, 시집 『가루의 힘』 외 6권,
평론집 『현대 동시인의 시세계』 외 3권

수록작품

목련꽃 지다
상상속의 둥근 집
남평 드들강
가우도
정순왕후

목련꽃 지다

유치원 뜨락
목련나무 아래
실내화만 신은 아이들이
밖으로 달려 나왔다.

—엄마다
꽃망울들이 활짝 터뜨리고
달려 나오는
아이들을
햇살이 감싸 안았다.

까르르
하얗게 쏟아지는
웃음소리
목련가지가 휘청거린다.

바람이
—이러면 안 돼
빨리 들어가라.

아이들이 우르르
교실로 들어가자
뜨락에 어지럽게
실내화가 흩어져 있다.

상상속의 둥근 집

상상해 봐
만약에 우리들이 사는 집을
공모양으로 둥글게 짓는다면
지구가 둥그니까
굴러가지 않겠어.

천정이 방바닥이 되고
방바닥이 천정이 되고
어지러울 걸.

학교도
집을 굴러서 가고
멀리 사는 친구네집
옆으로도 굴러가서
이웃이 되고,

집에다 커다란 기구를 달아
헬륨가스 넣으면
둥둥 떠서
새처럼 하늘을 날아가고,

바다로 가면은
둥둥 떠다니는
배 같은 집이 되고,

다른 나라로 굴러가면
그곳에서 살다가
한 바퀴 돌다오면
제 자리로 돌아오지 않겠어.

남평 드들강

영산강 한 줄기 지석천에는
드들이의 전설이
드들드들 흘러간다.
둑을 막자마자
비 내리면 무너져서
아이를 둑과 함께 쌓으면
무너지지 않는다는 말을 믿고

덕곡마을 가난한 집 드들이를
돈을 주고 사와
둑과 함께 묻었다.

장맛비가 질척이는 밤
달빛이 기웃거리는 밤
드들드들 드들이 울음소리
철철철 흘러가고
다시는 둑이 무너지지 않았다.

그 뒤 남평 마을에서는
장맛비가 억수로 쏟아지면
죽은 드들이가 둑을 단단히 붙들어서
무너지지 않고
해마다 풍년이 들었다.

해마다 드들이가 둑에 묻힌 날
동네 아이들이
강강술래 강강술래
둑 위를 밟아 드들이를 달랬다.

지금도 지석강에 가면
드들이 전설이 되살아나서
드들드들 흘러간다.

가우도

소의 머리 같은 보운산이
머리를 쳐들고
멍에를 짊어지고
강진만 바다에 잠겨 헤엄을 친다.

가우도는
소의 멍에

대구 저두리 한 줄
도암 용흥리 한 줄
고삐를 잡고

이랴이랴 강진만을 거슬러 오를 때마다
출렁거리는
출렁다리 쇠고삐

추운 겨울
쇠콧김 풀풀 오르는
만덕산 백련사 동백꽃
똑뚝 떨어지는 쇠코피
다산선생
글 읽는 소리
영랑의 모란꽃 한 송이
가우도에 떨어진다.

정순왕후

열다섯 단종의 비가 되자마자
쫓겨났다
정읍 칠보에서 태어난
정순왕후

왕위를 빼앗기고
귀향길에 오른
어린 단종 때문이었다.

단종과 생이별하고
노비 신분이 되었다.
동냥으로 끼니를 이어가며
눈물만 흘리며 살다가셨다.

그때부터 흘린 눈물들
댐에 가득 모아두었다.
정읍 칠보 댐을 찾는 사람들도
댐에다 눈물 몇 방울을 남기고 온다.

양회성

『아동문예(1985)』와『월간문학(1987)』동시 당선
광주문학상, 한국아동문학 작가상,
김영일 다람쥐문학상 수상
저서 : 동시집『엄마의 무릎』외 4권, 찬송시집『하나님의 계단』
한국문인협회 회원, 한국아동문학회 중앙위원

현재, 목포시청 정보통신과장으로 재직

수록작품

가장 아름다운 꽃

이 세상에는
사시사철 계절마다
수많은
아름다운 꽃이 피지요.

봄이면 진달래와 벚꽃, 철쭉꽃
여름이면 장미와 해바라기
가을이면 국화와 코스모스
겨울이면 동백과 포인세티아……

그 중에서도
가장 아름다운 꽃은
우리네 사람들이 활짝 피우는
웃음꽃이지요.

노란 손수건

양
회
성

마알간 햇살과
초록빛 바람이
서로 손잡고 마중하며
반겨주던 입학식 날.

우리의 가슴에
자랑스러운 훈장처럼 찼던
새록새록 생각나는
기억 속의 알록달록 손수건.

어느 날인가
민들레 홀씨처럼 날아와서
우리의 가슴에
노란 손수건으로 바뀌었어요.

이제는
화창한 봄날을 그리는
노란 민들레처럼
밝은 세상을 꿈꾸는
노란 손수건이 되었어요.

여름비

여름비는
초록비.

지나간 줄기마다
초록 빛깔 깨어나고

지나간 나뭇잎마다
초록 향기 머물고

지나간 꽃잎마다
초록 웃음 일렁이네.

찰떡

양회성

엄마가
안방 시렁에
몰래 숨겨 놓은
찰떡.

내가
엄마 마실간 사이
의자 딛고 올라가
생쥐처럼 살금살금 빼먹고
몇 개를 남겨 두었더니,

엄마가
그걸 알고
나를 살짝 쳐다보면서 하시는 말씀

"천장 속 생쥐가 살더니
어느 새 야금야금 빼먹었구나."

※시렁 : 물건을 얹어 놓기 위하여 방이나 마루 벽에 두 개의 긴 나무를 가로질러
선반처럼 만든 것.

가위 바위 보 놀이

가위를 내면
바위가 부숴버리고

바위를 내면
보가 덮어버리고

보를 내면
가위가 잘라버리는,

서로가 이기려고
남의 마음을 읽어가며
눈치로 알아내는
가위 바위 보 놀이.

좋아하는 친구에게
모든 걸 주고 싶듯이,

그런 마음으로
서로가
한 번쯤 져주면 안될까?

소금
-신안 증도 태평염전에서-

양회성

네모난
바둑판 같은
소금밭.

찰흙처럼 고운 갯벌과
짭조름한 바닷물에
은혜로운 햇살 가닥과
고마운 바람 자락이
겹겹이 어우러져 빚어낸,

수정처럼
알알이 빛나는
새하얀 보석.

※ 국내 최대의 단일염전으로 2007년 등록문화재 제360호로 지정되었음.

내 고향 신안

갈매빛 하늘
시리도록 푸르른 쪽빛 바다
한가운데
동동동
천사의 섬들
어깨동무 얼싸안고
다도해를 이룬 곳.

해마다 은빛 모래밭에 해당화
바위틈의 풍란
이름 모를 들꽃들의 향기 새롭고
뱃고동 힘찬 소리에
우리네 따스한 인정이 넘나드는 곳.

화가들의 화폭에
감동을 그리고
사진 작가들의 사진첩에
추억을 만들고
시인들의 가슴 속에
사랑의 시를 남기고 싶은 곳.

언제든지
보석처럼 빛나는 섬들이
우리를 반겨 맞아주는
새 희망의 낙원
내 고향 신안.

공공로 동시문학에 대하여

쇳물을 녹이는 사나이, 공공로의 동시문학 속 아버지상

이 정 석

1. 광양제철 지킴이 공공로

공공로(1960~)는 따뜻한 정이 뚝뚝 묻어나는, 구수한 말투의 소유자이다. 그 말의 억양으로 고향을 가늠하기가 쉽지 않다. 약간 억세면서도 느릿하기도 하다. 고향은 전라북도 완주이고 생활 근거지는 광양이다. 당연히 충청도 기운도 스며들었을 것이고, 광양 특유의 경상도 기운도 섞여 있을 것이다. 그에게 술기운까지 겹쳐지면 느릿한 고향 말투가 더 진하게 드러난다. 필자는 별밭 동인으로서 술기운이 들어간 느릿한 그의 구수한 말투를 좋아한다. 옆자리에 함께 앉아있으라치면 선배로써 자격이 없다고 구박 당하기 일쑤다. 특히 필자한테 구박이 더 심하다. 눈에는 웃음기를 가득 담고서. 그럴만한 이유가 있다. 공공로는 1999년 《무등일보》신춘문예에 시 '젖어있는 곳에 보금자리가 있다'가 당선되었는데, 그보다 3년 앞선 1996년 《무등일보》신춘문예 같은 시부문에 필자도 당선되었기 때문이다. 등단 선배 노릇을 못하니 그렇다는 것이다. 하여튼 그와 나란히 있거나 마주 보고 있으면 시 창작을 포기한 낌새를 어떻게 알

아챘는지 따뜻한(?) 면박과 함께 따끔한 충고까지, 가끔 싫지않은 곤욕을 치루고 있다. 그는 신춘문예 당선 이후 시 창작에 매진하였는데, 2001년에는 가을시 경연대회에서 계간《문학마을》 신인상을 수상하였고, 같은 해에 첫 시집『격포에 가면 누구나 섬이 된다』(2001)와『갈대들도 일어나 아침 수화를 건넨다』(2006)를 연달아 내었다. 그는 신앙시집『그토록 잃은 어린 양을 찾는 이유』(2011)도 출간하였다. 그의 작품들을 읽다보면 시 재능이 더 뛰어나다는 사실을 발견할 수 있다.

> 순천만 물길을 따라가 보라/ 저녁마다 노을을 삼키고 있는/ 갈대숲을 볼 거다// 우리 발길보다 먼저 둑길에 나 앉아 평상을 펼쳐놓고/ 밤이슬을 맞고 있는 갯가재도 볼 거다// 바람이 불 때마다/ 우리 키보다 더 높이 솟구쳐 올랐다가 가라앉는/ 흑두리미떼// 육자배기 가락처럼 나는 점점 깊어지고/ 한 마리의 뻘낙지를 위해/ 노을의 갯벌 속으로 더욱더 깊어지는 아낙들// 순천만 물길을 따라 걸어보라/ 저녁이 깊을수록 내 안에서 더욱더 깊어지는/ 노을을 볼 거다/ 갈대숲을 만날 거다
>
> –「순천만」 전문 –

그의 시「순천만」을 읽고 있으면 노을진 순천만 생태공원의 갈대 숲의 정취를 물씬 느낄 수 있다. 전라도 사람들만이 가지고 있는 넉넉한 가락과 멋이 담겨 있는 작품이다. 1연의 갈대숲이나 2연의 갯가재는 여느 해안에서 볼 수 있는 풍경이지만 3연의 흑두루미떼와 4연의 뻘낙지 캐는 아낙네는 순천만 인근에서 볼 수 있는 남도 고유의 풍광이라 할 수 있다. 즉 시적화자의 시선과 감정이 1연부터 4연까지 차근차근 남도 특유의 멋을 지닌 순천만으로 모아진다는 것이다. 그래서 전라도 땅과 사람들에게 깊게 빠져 젖어드는 것이고, 육자배기 가락에서 남도의 풍부한 인심과 정감을 느낄 수 있는 것이다. 4연에 사용된 시어 '육자배기','뻘낙지','아낙네'등은 공공로 시인이 추구하는 주제의식이 결국 순

천만의 아름다운 풍광 속에 내재된 전라도의 몸서리쳐지는 깊은 가락과 멋이라고 할 수 있다. 5연은 1연과 동일하게 처리한, 수미쌍관법이 적용된 것이지만 4연에 드러난 남도의 깊은 맛을 '저녁이 깊을수록 내 안에서 더욱더 깊어지는'라는 주제 시구가 배치되어 자연스럽게 시적 논리를 갖추고 있다. 이런 찰지고 오진 작품들이 공공로의 시집에 참 많이 실려 있다.

공공로는 1985년 포스코에 입사하여 광양제철에서 근무한 지 30년이 지났다. 제철 공장의 쇳물을 녹이고 있으니 엄청나게 남성적이고 강한 이미지의 남자로 선입견을 가질만 하나 광양쪽에서는 술 인심과 함께 정이 많은 사나이, 따뜻한 성품의 소유자로 인정받고 있는 것 같다. 또 주위 문인들이 그를 이름 대신 진담반 농담반 아무렇게나 '빈 길(공로)'이라고 호처럼 불러준다는 소문도 들린다. 당연히 그는 《별밭》동인으로서 동시를 창작하는 동시인이다. 어느 인터뷰 기사(CNB뉴스, 2011.4.)에서 여건상 아이들과 함께 부딪히며 공유할 수 없는 생활이 동시 창작에 제일 힘든 점이라고 하면서 '자연 속에서 나를 발견하는 일'이 주된 작업 방향이라고 고백하였다. 제철공장에서 쇳물을 녹이는 작업 속에서 여리디여린 동심을 찾는 작업이 결코 쉬운 일이 아님을 알 수 있다.

이 글에서는 광양제철에 근무하는 직업인으로서 동시 창작의 고충을 안고 사는 공공로의 작품 속에 드러난 아버지상의 모습과 등장인물들의 심리 등을 들여다 보고자 한다.

2. 공공로 동시문학의 아버지상

가정은 한 인간의 탄생에서 죽음에 이르는 긴 시간동안 삶을 영위하고 기록하는 기본적인 물리적 공간, 심리적 공간이면서 1차적인 사회이다. 그리고 가정의 공동체 구성원 속에는 아버지와 어머니라는 두 기둥이 중요하게 자리잡고 있다. 아동문학의 상당 부분은 이런 뿌리와 같은 아버지와 어머니에 대한 다양

한 사색과 탐구들로 채워져 있다고 할 수 있다.

그런데 아동문학에서의 부성과 모성에 대한 접근은 대조적으로 꽤 정형화된 모습을 보여준다. 부성은 권위적이고, 이성적이고, 전체적이라면 모성은 예속적이고 감정적이며, 부분적이다. 아버지와 어머니의 존재는 당연히 동등한 가치와 권위를 가질 수 있을 것 같지만 사실은 아버지를 대표로 한 부권이 신성시되는, 가부장적인 권위와 엄숙이 지배하는 전통적인 가정의 모습이 아동문학에서도 최근까지 그대로 적용되었다. 이런 부권의 모습은 어디까지나 사회나 가정의 지배 이념일 때 과거 2000년대 이전에 적용된 전형화된 형태라고 할 수 있다.

그러나 부권이 인간적이고 개인적인 얼굴을 구체적으로 면대했을 때에는 사뭇 달라질 수밖에 없다. 한 아이의 아버지일 때는 전혀 다른 모습을 볼 수 있다는 것이다. 물론 개인적인 성격에 따라 권위적인 틀에 벗어나기 힘든 사람들도 있겠지만 대부분의 아버지는 자상하고 인자하다고 할 수 있다. 공공로의 경우도 마찬가지이다. 그가 그리고 있는 아버지상은 권위를 대변하는 전통적인 부권의 모습은 거의 없다. 가정에서 가족과 함께 만들어낸 끈끈한 정이나 따스한 이야기 등 자상하고 인자한 모습은 아니지만 심리적으로 위축되고 나약해진 아버지의 모습, 가족의 생계를 위해 고생하는 아버지 등 현대적인 아버지상이 주로 등장한다.

> 신발장에 들어가지 못하고/ 벌렁 누운 아빠 신발// 문턱이 높지 않는데/ 오늘도 혼자/ 몸을 비틀며 잔다// "에구 얼마나 힘드실까?"/ 가지런히 놓아주려면/ 내 책가방보다 더 무거워 낑 낑// 때로는/ 흙투성이/ 때로는/ 상처투성인 아빠 신발// "왜 저렇게 무거운 신발을 신나요?"/ 아빠는 나를 꼭 안아주곤/ "작업현장에서 신는 안전화라는 것이여"
>
> –「아빠 신발」 전문(동인지 22집 『말없이 지나갔는데도』, 2008) –

「아빠 신발」은 위험하고 어려운 작업 현장 속에서 열심히 일하는 아버지의 모습을 무거운 안전화를 통해 그리고 있는 작품이다. 이 작품 속에는 아버지가 일하는 작업 환경이 얼마나 위태롭고 고단한 지를 몇 개 시구를 통해 보여주고 있다. 2연에 등장하는 '내 책가방보다 더 무거워 낑 낑'이라든지 '흙투성이', '상처투성이' 등은 구체적인 작업 환경을 제시하지 않더라도 현장 상황을 충분히 알 수 있는 시구라고 할 수 있다. 한 가정에 대한 무거운 책임감을 지고 있는, 고단한 아버지의 모습이 무거운 안전화를 통해 매우 실감나게 그리고 있다고 할 수 있다. 그리고 무거운 아빠 신발을 가지런히 놓아주려는 어린 시적화자의 행위는 아버지에 대한 고마움과 사랑이 가득차 있으며, 아버지 또한 시적화자에 대한 따뜻한 부성애를 보여주고 있다고 할 수 있다.

> 까마득한 철재에 매달려/ 시퍼런 호수를 내려다보면/ 너보다 더 작은 가슴으로/ 거칠게 꿍꽝댄단다./ 아이야// 다리를 묶고/ 허리를 동여매면/ 금방이라도 떨어질 것 같아/ 얼마나 후들거리는지 몰라/ 아이야// 네가 서 있는 곳에서/ 보이지 않을/ 언덕 너머 작은 마을의/ 쓰러진 벼만큼이나 괴롭단다/ 아이야// 품에 안긴 눈망울이/ 조마조마 맺혀와/ 환하게 날아보지만/ 엉성한 아빠의 날갯짓에/ 부끄럽지는 않았는지/ 아이야
>
> -「번지 점프」 전문(동인지 25집 『오늘은 내 세상이다』, 2011) -

「번지 점프」는 높은 공중에서 당당하게 번지 점프하지만 복잡하고 나약한 아버지의 심리를 그린 작품이다. 번지 점프는 탄력 좋은 로프 한쪽을 몸에 묶고 높은 곳에서 뛰어내려 위험을 감수하면서 스릴과 즐거움을 만끽하는 모험 스포츠이다. 아버지 입장의 시적화자도 위험을 감수하면서도 번지 점프를 멋지게 성공하여 아이의 아버지서 당당하고 든든한 모습을 보이고 싶어한다. 그러나 고소 공포증 환자가 아니더라도 생래적으로 가진 추락 공포증 때문에 당당한 아빠, 부끄럽지 않는 아버지임을 쉽게 보여줄 수는 없는 것이다. 어쩌면 체면

을 강조하는 위선일 수 있다. 그래도 아버지이기 때문에 아이 앞에서 '날갯짓'을 하는 것이다.

이 작품에서 보여주고 싶은 아버상은 자식의 롤모델이며, 위엄과 권위를 가진 아버지로서 아이 앞에서 당당하고 부끄럼 없는 모습일 것이다. 아버지 내면에 흐르는 심리적인 나약성과, 부모 '품에 안긴 눈망울'(=자식, 아이)의 아버지에 대한 기대감이 잘 대비된 작품이다.

> 눈이 벌겋게 달아올랐다/ 야간 퇴근 나홀째// 긴 밤을 간간이 씻어내는 헛기침소리가/ 세면장 문틈 사이로 튕겨 나왔다.// 밥상을 꼭 붙은 어머니/ "지각할라, 빨리 학교에 가야지?"/ 계란말이 한 조각을 떼어 건네는/ 아버지 손톱 끝이 아직도 시꺼멓다.// 대문을 먼저 나서 손사래로/ 등굣길 배웅하는 아버지/ 버스가 올 때까지 꼼짝도 안했다.// 버스가 멀어지면 멀어질수록/ 길가에 가로수가 된 아버지
>
> -「아버지 2」 전문(동인지 29집 『춥지 않은 겨울』, 2015) -

「아버지 2」에서도 「아빠 신발」처럼 어렵고 고단한 작업현장에서 일하고 있는 아버지의 모습이 등장한다. 이 작품에서는 회사에서 밤새 야근한 아버지이다. 아침에 퇴근하는 아버지와 등교하는 아이의 심리가 교묘히 교차하고 있다. 어린 시적화자의 눈높이에서 아버지의 사랑과 관심, 인내심으로 버티고 있는 아버지의 태도와 내면적 심리 상태를 관찰하고 있다. '긴밤을 씻어내는 헛기침'과 '손톱 끝이 아직도 시꺼멓다'에서 드러난 아버지의 열악한 작업환경, '버스가 올때까지 꼼짝도 안했다'나 '길가에 가로수가 된 아버지'처럼 끊임없는 베푸는 아버지의 내리사랑, 자식에 대한 신뢰와 배려, 탈권위적이고 소박한 모습이 잘 드러나 있다.

이외에도 공공로의 동시 중에는「아빠 이름은 막둥이」, 「아버지 1」, 「철에도 향기가 핀다」 4편 등 남성적인 굵직한 목소리의 작품들이 상당히 많다.

3. 공공로 첫 동시집을 기대하며

공공로의 동시문학 속에는 그의 시문학에서 볼 수 없었던 남성과 아버지가 꽤 많이 등장하지만 앞에서 언급한 그런 가부장적이고 권위적인 아버지상은 나타나지 않는다. 가족 구성원 중에서 참으로 허약하고 왜소해진 그러나 너무 인간적이고 소탈한, 현시대에 부합한 아버지 모습이다.

공공로의 동시문학에 생계 위주에 고단한 아버지상만 나오는 것이 아니다. 「순천만」에서처럼 서정적이고 동심 가득한 작품들도 많다. 그는 두 번째 시집 『갈대들도 일어나 아침 수화를 건넨다』 시인의 말에서 "순박하고 토속적인 객체에 동화되고 무뎌진 감각을 털어내며 어느 시골집 굴뚝에서 피어나는 연기가 되어 가끔씩 노래하고 싶을 뿐이다."이라고 고백하였다. 그의 동시 창작에서도 적용되는 말이기도 하다.

> 손 시린 바람이/ 버스를 기다렸나봐요.// 이리 저리 맨돌다가/ 버스에 올라탔어요.// 비틀/ 비틀// 어지러웠는지/ 손잡이를 꼭 붙잡네요.// 차창 밖엔/ 시린 바람이 야유를 보냅니다.
>
> –「버스에 올라탄 바람」 전문(동인지 30집 『나를 부르는 노란 별』, 2016) –

「버스에 올라탄 바람」은 소재의 참신성과 시인의 상상력이 돋보이는 작품이다. 찬바람 때문에 추위를 타는 사람의 입장이 아니라 겨울 길에 떠돌아다니는 바람의 입장에서 전개한 작품이다. 창 밖의 시린 바람과 따스한 버스 안의 바람의 처지는 대조적이다. 그런데 재미있는 것은 창 밖의 시린 바람이 야유를 보낸다는 사실이다. 처지가 달라졌으므로 부러워하거나 자신의 부족함을 탓해야 하지 않을까.'야유'는 이탈자에 대한 반감 표현이며 심리적인 대항이라고 할 수 있다. 버스 안의 바람에게는 심리적으로 미안한 마음의 표시일 수 있겠다. 동심 가득한 작품이다."계단에 앉아/ 모래를 한참동안/ 들여다보았다.// 넓은 운동장에서/ 나는/ 한 톨 자갈이 되었다.// 작은 바람에도/ 참으로 잘 굴러 갈/ 이름조차 없는 돌이다."(「운동장에서」전문, 동인지29집 『춥지 않은 겨울』, 2015)에서도 외로운 아이의 위축된 심리를 표현하고 있다. 공공로의 동시를 보면 이런 시적화자나 등장하는 대상들의 심리 상태를 잘 표현한, 특이한 특징을 지니고 있음을 알 수 있다.

이제 공공로 시인이 곧바로 해야할 일이 한 가지 남아있다. 올해 말이나 내년(2018) 초에 첫 동시집 발간이라는 중차대한 일을 실천하는 것 말이다. 여보게 아우! 등단 선배로서 따끔한(?) 충고는 이것뿐일세!

이성룡 동시문학에 대하여

엉뚱발랄과 너스레, 익살의 동심

윤 삼 현

1

많은 동시가 생산되어 나오고 있다. 그런데 그 동시가 그 동시 아니냐고, 특별한 개성이 보이지 않는다고 더러 볼 메인 목소리를 터뜨린다. 왜 이런 현상이 생겼을까. 동시의 맥을 짚어볼 필요가 있다. 60년대로 거슬러 올라가보자. 동시도 시여야 한다며 종전의 요적 동시들을 확 뜯어고치고자 열을 올리던 시절이 그 무렵이었다. 이후 이런 변곡점과 노력에 힘입어 시의 품격을 확보하는데 괄목할 만한 성과를 거두었다. 그러나 이번에는 동시가 어려워 못 읽겠다고 불만을 토로하기 시작했다. 성인시와 유사한 동시들이 멀쩡하게 동시라는 이름으로 발표되고 있었던 것이다. 7, 80년대 일이다. 너무 유치해도 안 되고 너무 어려워도 또 안 되는 게 아동문학임을 실감했다. 동시는 다시 나침반을 꺼내 방향설정을 시도해야 했다. 이런 궤도수정 덕분에 90년대 들어 시의 품격도 확보하고 내용도 별 어려움이 없는 무난한 동시들이 빚어져 나오기 시작했다. 어린이나 성인들이 고루 읽어도 시적 공명을 일으키며 울림을 맛볼 수 있는 확장

된 고급 동시들이 속속 발표되어 나왔다. 시로서도 성공하고 동심의 확보 여부에서도 성공한 고품질의 동시들이 대량으로 생산되기 시작했다. 이런 풍조가 2000년대를 지나 2010년대 후반인 오늘에 이르기까지 쭈욱 이어져 오고 있다.

문제는 이런 동시들이 하나같이 쇠죽을 쓰는 가마솥처럼 따뜻한 김이 피어나고 모난 데 없는 천사적 마음씨를 지닌 화자들로 넘쳐나고 있다는 점이다. 다들 자신의 동시에 성인군자연한 거룩한 인류애와 모든 시적 대상을 품어안는 모성애같은 포용력을 담아내다 보니 그 또한 하나의 유행이 되어버렸다. 시적 개성을 상실해버린 셈이다.

2020년을 바라보며 동시는 분명 또 다른 새로운 물갈이를 위한 자기변신이 요구되고 있다. 따뜻함이나 착함 일변도에서 탈피해야 하는 것이다. 그것은 일단 발상의 혁신에서 그 출발점을 찾을 수 있다. 편협하고 고착화 되어가는 동시단에 엉뚱발랄, 익살과 해학, 너스레 같은 동심본질적 요소인 쌈빡한 맛을 주입한다면 화석화되어가는 몰개성을 깨뜨려 나갈 수 있는 단초가 된다.

이성룡 동시에 주목하는 이유가 그의 동시에서 발견되는 뚜렷한 개성이 만만치 않게 느껴지기 때문이다. 그는 이미 『문학 21』에서 시로 등단한 시인이다. 『서풍에 밀려온 아프로디테』 등 세 권의 시집을 출간한 바 있다. 그리고 2017년 『아동문예』 작품상 제 274회 동시당선으로 다시 등단 과정을 거쳤다. 시와 동시를 함께 쓰는 잇점을 살려서인지 그의 동시는 확실히 종전의 동시의 고질적 스타일에서 얼마간 비켜나 있다. 그 단서들을 몇 작품을 통해 개진해 보고자 한다. 『아동문예문학상』 당선작과 별밭 동인지 30회 작품집(2016. 도서출판 해동)에 실린 동시 등을 대상으로 함을 밝힌다.

2

나는 이순신이다
가을 낙엽들이 날리는구나
그 날
도요토미 히데요시 군사들이
맥없이 스러지고 있어

낙엽 같은 왜군
먼지 같은 침략군

부릅뜬 내 눈 앞에서
허둥지둥 제 풀에 쓰러지고 있어

하지만 낙엽을 보면 편치만은 못해
목숨 걸고 싸우다가
내 곁을 떠나간
조선의
옛 군사가 눈에 밟혀.

–「가을 동상」 전문

'가을 동상'은 눈에 띄는 것이 동심주체를 바라보는 시선에 특유의 색깔이 묻어 있음을 목격하게 만드는 일이다. 가을 동상을 바라보는 작가의 내면에 장착된 동심프리즘이 매우 독특한 분산 굴절 현상을 일으키며 역사적 상상력이라는 스펙트럼을 낳고 있는 것이다. 이는 그의 인식의 지평이 매우 폭이 넓다는 것과 새로운 인식의 씨앗을 자기 안에 대폭 장착하고 있다는 한 증거이다. 즉 시인이 아이들을 향한 남다른 관심과 밀착된 동심적 자의식을 발휘하는데 온 촉각을 세우고 있다는 얘기이기도 하다.

'가을 동상'에서 보는 것처럼 그의 동시에서 우선 눈에 띄는 것은 시적 형상화 작업에서 서정성과 시대인식이 고루 배합되어 있어서 매우 특징적이란 사실이다. 이는 상당히 독자적 빛깔의 동시를 쓸 수 있는 한 가능성을 보여주는 일이기에 고무적이다. 메시지가 강한 동시를 쓸 수 있는 태도에서 우리는 그의 노력 여하에 따라 새로운 동시의 한 흐름을 형성하는데 일조하리라는 그런 기대감을 갖게 한다.

'가을 동상'은 역사의식, 시대정신을 담고 있다. 투구쓰고 갑옷입고 장검을 찬 이순신 장군 동상에서 모티브를 얻어 출발한 시로 충무공을 시적화자로 설정한 장면도 흥미있고, 언어의 재미성과 함께 역사가 주는 무게감까지 느껴지는 작품이다. '가을 낙엽'을 임진왜란을 일으킨 도요토미 히데요시 군사들로 은유하고 있다. 이순신 장군 동상을 시적 배경으로 하고 있어 충분히 설득력을 확보하게 된다. 나아가 낙엽에서 조국을 지키다 쓰러져간 수많은 조선 병정들까지 생각해 낸다. 그만큼 의미의 층위가 두텁다. 그의 시의식의 스펙트럼이 넓다는 반증이다.

산에는 뭐 하러?
도라지 캐러
산밭에 뭐 하러?
칡뿌리 캐러
또 산에는 뭐 하러?
도토리 주우러

고라니는 왜 마을로?
도라지 뜯으러
멧돼지는 왜 마을로?

칡뿌리 훔치려
청설모는 왜 마을로?
도토리 되찾으러.

–「그것도 몰라?」 전문

인간과 자연은 상호 공존의 관계가 정설이다. 이 관계가 어긋나면 삶의 균형이 무너지고 평화가 깨지게 된다. '그것도 몰라?'는 바로 그러한 인간과 자연의 문제를 다루고 있다. 1연에서 인간이 자연을 침범하고 그들의 몫을 빼앗는 장면을 그렸다. 2연에서는 빼앗긴 자연의 소유물을 되찾으려고 인간의 마을로 발걸음 할 수 밖에 없는 동물들의 처지를 다루었다. 최근 멧돼지가 도심에까지 출현하여 소동을 일으키는 일이 벌어진다. 고라니가 논밭에 나타나 애써 지은 농작물을 마구 파헤쳐놓기도 한다. 이들을 겨냥한 사냥꾼이 총을 들고 야간 순찰에 나서는 장면이 뉴스나 특집화면을 장식하기도 한다. 전에 없이 산의 짐승들이 위험을 무릅쓴 채 마을에 나타나는 원인을 직시할 필요가 있다. 인간이 짐승들의 영역인 자연을 잠식해 들어가고 그들의 양식을 자꾸만 약탈해오고 있다는 사실, 마찬가지로 먹을 것을 찾아 산 짐승들은 인간의 영역으로 발걸음 하지 않을 수 없게 된 형편, 이런 전후 사정을 동심 주체들도 잘 파악하고 있다. '그것도 몰라?'는 어린 동심 주체가 인간과 자연의 조화를 깨뜨리는 성인들에게 날리는 날카로운 언어의 질타인 것이다.

해병대원도
림보 선수도
꼼짝 마!

나비소녀 걸렸다
잠자리 소년도

어이쿠, 쾅!

으슥한 골목
짝다리 짚은
여중 언니들처럼

거미 특전사
외줄 타고 내려와
그물을 살핀다.

―「거미대장」 전문

거미는 으슥한 공간에 그물을 쳐놓고 날아드는 곤충이 걸리면 먹이로 삼는 포획자이다. 그가 쳐놓은 덫에 걸리면 빠져나올 재간이 없다. 약하게만 보이는 거미줄에 도대체 어떤 비밀이 숨겨있는 것인가. 거미줄은 도단위당 강도가 강철 및 케블라 섬유보다 강하고 고무보다 더 유연하다. 거미줄 대부분이 강력하고 잘 늘어나며 내구성이 강해 아무리 비바람이 쳐도 쉽게 끊어지지 않는다. 무게가 거의 없다는 점 을 감안하면 놀라운 일이다. 이런 거미줄을 꽁무니로 술술 빼내어 노련한 건축기사처럼 그물망을 쳐놓는 거미는 보면 볼수록 영리한 사냥꾼이다.

'거미대장'은 이런 거미의 이미지에 인간의 숨결을 부여하여 짝다리 짚은 여중생 언니로, 거미 특전사 대원으로 의인화해 놓았다. 걸려든 생명체를 돌돌 말아 뭉개는 난폭한 폭력자이지만 동심주체의 시선으로 본 거미는 자못 미화되어 있다. 자연 속 곤충이기에 그 폭력성이 용서될 수 있었다.

푸훗!
녀석들,
참 귀엽다

궁금한 거
형에게 다 물어 봐
나 뭐든지 잘 해

공부 빼고
못하는 게
하나도 없지

너도
알게 될 거야
열 살이 되면.

－「입학식」 전문

'입학식'은 공부 빼고 뭐든지 자신감 넘치는 다소 과장된 열 살 짜리 아이가 시적 주체로 등장하고 있다. '푸훗!/ 녀석들,/ 참 귀엽다' 1연에서 시적 주체의 성격이나 분위기를 감지할 수 있다. 갓 입학생들 앞에서 자기를 뽐내고 과시하는 열 살 짜리 형의 태도가 웃음을 유발한다. 혹은 성인 독자들에게는 '나도 저런 적이 있었어' 생각이 들 정도의 공유된 시적 경험을 꺼내게 만드는 친숙함이 작용한다. 이처럼 이성룡 시인의 동시는 절묘한 동심 장면을 콕콕 찍어내는 비상한 눈이 있다. 그리고 그의 시어는 노란 배추 속잎 같은 달콤하고 아삭한 맛을 지닌다. 그의 동시들이 내장한 속맛이 바로 상큼쌉쌀한 배추 속잎 그 맛이다. '입학식'은 봄날 기지개를 켜고 발돋움한 나무들이 뿜어내는 맑은 수액처럼 싱그럽고 솔직한 동심이 일품이다.

엄마랑 함께
우산을 쓰면
모처럼 대화가 된다
막혔던 말이 통한다
그동안
안돼 안돼였는데
우산 속에서는
그래 그래
그렇게 하자

우산을 함께 썼을 뿐인데
엄마는 자상한 엄마
나는 착한 아들이 된다.

–「엄마랑 우산 쓰는 날」 일부

우산 속 풍경은 참 따뜻하다. 비가 오지 않은 날에 서로 티격태격하며 갈등하고 대립했던 마음들이 우산 속에서 뜻밖에 순해진다. 상대를 세워 배려하고 자신의 아집을 내려놓는다. 까닭은 우산 속에서 진정한 하나의 마음으로 거리를 지워버렸기에 가능한 일이다. "안 돼, 안 돼"에서 "해보자. 그래 좋다"의 긍정의 시선으로, 가능성의 열린 소통 구조로 바뀌게 된 것이다. 그러므로 우산은 마법의 공간구조의 의미를 띤다. 우산의 속성은 고스란히 따뜻함, 단순명쾌성의 동심과 맞아 떨어지는 동질적 의미체인 것이다.

투덜투덜
구시렁구시렁

말끝마다
푸념이 양념이다

차라리 울지
차라리 화 내지

어르고 달래고
살살 구슬리면

반짝반짝
활짝활짝

웃음반장
누가 아니랄까 봐.

—「투덜이 친구」 전문

'투덜이 친구'에서도 이성룡 시인 만의 특유의 익살이 숨어있음이 드러난다. '투덜투덜/ 구시렁구시렁// 말끝마다/ 푸념이 양념이다'의 진술에서 드러난 것처럼 시적 대상인 친구는 푸념을 일삼는 불평쟁이가 분명하다. 이러한 부정적 인물이 후반부에 와서 '반짝반짝/ 활짝활짝' 웃음꽃 피우는 긍정적 인물로 대변신하고 있다. 그리고 그러한 시상의 전개를 해학적 너스레가 뒷받침하고 있다. 즉 '웃음반장/ 누가 아니랄까 봐.'에서 증명되듯이 눈 감추며 일부러 원망의 눈짓을 보내는 넉살 좋은 동심이 자리하고 있는 것을 보게 된다. 그러므로 동심은 삶을 푸르고 맑게 되살려내는 인류 최고의 마음 처방 약이 분명하다.

3

재미, 익살, 엉뚱발랄, 해학적 요소는 이성룡 시인의 주특기이다. 이러한 특기를 집중적으로 살린다면 그의 동시는 상당한 매력으로 동시단에 파문을 일으키게 되리라 기대한다.

> 동시쓰기가 무척 어렵다고 생각해서 잘 쓰지 않았다. 잘 쓴 동시, 좋은 동시, 형식이 갖춰진 시를 써야 한다는 생각 때문에 지레 포기했었다. 그러나 자주 쓰다 보니 재미가 붙었다. 아이들의 생각, 아이들의 이야기, 아이들의 모습을 그대로 드러내는 것만으로도 행복하다.

위의 글은 『아동문예』지의 '274회 아동문예문학상' 당선 소감문의 일부이다. 시인은 아이들 속으로 뛰어들어 동심 특유의 탐미적 정서를 캐낼 마음의 준비를 갖추고 있다. 초심을 잃지 않고 동시에의 열정을 불사른다면 한국 동시단에 새로운 호흡을 불러일으켜갈 야심찬 동시인이 분명하다. 가열찬 그의 창작혼에 기대와 응원을 보낸다.

별밭동인 주소록

고윤자

(61736) 광주광역시 남구 서문대로 663번안길 12, 106동 203호
(진월동 하늘연가A)
T. 062-413-8920(자), 010-2686-8727(손전화)
E-mail : 1004kojuboo@hanmail.net
근무처 : 목포항도초등학교

고정선

(57811) 전남 광양시 금호로 73, 12동 602호(금호동 사랑아파트)
T. 061-799-8136(자), 010-4627-8136(손전화)
E-mail : gojeungsun@hanmail.net

공공로

(57778) 전남 광양시 진등3길 6, 201동1106호(대광로제비앙2차)
T. 010-8610-5516(손전화)
E-mail : ggr3964@hanmail.net
근무처 : 포스코 광양제철소 도금부 근무

김관식

(08110) 서울 양천구 신정로 170, 104동 1102호(신정3동 현대 6차)
T. 070-7560-3908(자), 010-4239-3908(손전화)
E-mail : rlarhkstlr419@hanmail.net, kks41900@naver.com

양희성

(61629) 광주광역시 남구 월산로 118, 101동 204호(월산동 우방아이유쉘)
T. 062-676-6338(자), 010-3642-6338(손전화)
E-mail : yhs6338@hanmail.net / cafe: http://cafe.naver.com/yhskidpen
근무처 : 목포시청 정보통신과

윤삼현

(61513) 광주광역시 동구 남문로 307, 호반베르디움 209- 801호
T. 062-228-8679(자), 010-5607-8679(손전화)
E-mail : samhyn@hanmail.net
근무처 : 광주교육대학교 대학원 아동문학과

이성룡

(59538) 전남 고흥군 고흥읍 흥양길 23-16
T. 061-834-7797(자), 010-2683-7798(손전화)
E-mail : sll228373@hanmail.net
근무처 : 고흥 풍양초등학교

이옥근

(59760) 전남 여수시 신월2길 11, 101동 1003호(신월동 코아루아파트)
T. 061-652-5910(자), 010-6603-5910(손전화)
E-mail : lok0327@hanmail.net

이정석

(58319) 전남 나주시 다도면 암정로 325-17번지
T. 061-337-6997(자), 010-4611-5012(손전화)
E-mail : goban43@hanmail.net

조기호

(58616) 전남 목포시 영산로 609번길 5, 107동 1404호(석현동 우진아트빌)
T. 010-2611-1635(손전화)
E-mail : cho-kiho@hanmail.net